Este libro de
oraciones es un
regalo de

....

para

....

Mis primeras
oraciones

Copyright © 2005 de la edición española
Parragon
Queen Street House
4 Queen Street
Bath BA1 1HE, RU
Traducción del inglés y adaptación:
Concha Dueso y Carmen García del Carrizo
para Equipo de Edición S.L, Barcelona
Redacción y maquetación: Equipo de Edición S.L., Barcelona

ISBN 1-40544-810-5

Impreso en China
Printed in China

Mis primeras

oraciones

p

Sumario

El mundo es maravilloso

Todas las cosas luminosas y bellas,
todas las criaturas grandes y pequeñas.
Todas las cosas sabias y maravillosas,
de tu mano, Señor,
nacieron todas.

Cada flor que se abre,
cada ave cantarina,
con sus colores brillantes
y sus alas chiquitinas.

Los grandes árboles del bosque,
el prado donde jugamos,
el torrente de agua clara
en el que nos bañamos.

Él nos dio ojos para mirar
y nos dio labios para cantar
la grandeza del Señor,
que creó la tierra y el mar.

BASADO EN CECIL FRANCIS ALEXANDER
(1823-1895)

La belleza de este árbol,
con todo su esplendor,
me ayuda a comprender
la bondad del Señor.

Dios creó la Tierra y a todos los seres,
los pájaros, las plantas, las flores y los peces.
De ellos llenó el mundo con mimo y cariño
para que fuera el hogar de todos los niños.

Bendice, Señor, nuestras redes cuando vamos a pescar,
que la mar es muy profunda y tememos naufragar.

Porque amanece otra vez y comienza la vida.
Porque tengo salud y también comida.
Porque me das refugio y abrigo
y por el amor de mis amigos.
Por todo lo bueno que de ti recibo,
gracias, Señor, yo te bendigo.

Por las flores que crecen a nuestros pies,
te damos gracias, Padre.
Por la hierba tan fresca y tan verde,
te damos gracias, Padre.
Por el canto del pájaro y de la abeja el zumbido,
por todo lo que vemos y oímos,
Padre celestial, estamos agradecidos.

BASADO EN RALPH WALDO EMERSON (1803-1882)

Gracias por el aire y gracias por el sol
que ilumina todo a nuestro alrededor.
Gracias por la hierba, gracias por las flores,
por los árboles del bosque y las plantas del monte.
Gracias por el gorrión, la paloma y el halcón.
Gracias por el canto del ruiseñor.

Mañana es un día especial,
las vacaciones empiezan,
nos vamos al mar.
Jugaré con la arena, me podré bañar.
Montaremos en burro,
iremos a pasear.

Buscaremos en la playa
conchas, cangrejos y estrellas,
todas esas cosas que deja la marea.
Haremos castillos con fosos y torres.
Qué gusto, Dios mío,
tener vacaciones.

Alabado seas, mi Señor,
por la hermana nuestra Madre Tierra,
la cual nos sostiene y gobierna
y produce diversos frutos
con coloridas flores y hierbas.
SAN FRANCISCO DE ASÍS (1182-1226)

Me gusta cuando luce el sol,
el cielo brilla y hace calor.
Me entusiasmo con la nieve
que con su manto todo envuelve.

También me gusta que llueva,
pues la ciudad parece nueva.
Pero si hoy, Señor, haces que sople viento
mi cometa volará y me pondré muy contento.

Buen Dios,
gracias por este día,
por los colores que lo iluminan,
por las castañas, nueces y madroños,
los mensajeros del otoño.
Por las hojas doradas que revolotean,
por las bandadas de pájaros que se alejan.
Gracias, Dios, por todas las cosas bellas.

Yo considero
que Dios hizo algo muy bello
cuando creó el invierno.
Con la caída de las hojas
los árboles muestran su
contorno, sus formas.
Se diría que ganan libertad
para afrontar así la tempestad.

BASADO EN DOROTHY WORDSWORTH

(1771-1855)

Bendice, Dios, el campo y la sementera.

Bendice el arroyo, la rama y la conejera.

Bendice el pececillo y la ballena.

Bendice, Dios, el arco iris y el granizo.

Bendice la hoja y el nido.

Bendice al justo y al forajido.

Bendice, Dios, el sendero y el camino.

Bendice el agua y el vino.

Bendice las peras, las nueces y los higos.

Bendice, Dios, el trigo y la vid.

Bendice el águila y el colibrí.

Bendice a mi gente y también a mí.

Mi mejor amiga es Rosa,
nunca se enfada, ni es mentirosa.

Juan es alto y fuerte
y a los pequeños defiende siempre.

Luis, el de la camisa blanca,
es el que mejores notas saca.

Alicia es la más pequeña,
siempre tan dulce y risueña.

Mis amigos son algo especial,
a todos quiero por igual.
Gracias, Jesús, por ser mi amigo
y porque siempre estás conmigo.

Te damos gracias, María,
Virgen más bella que el sol,
porque nos has dado a Cristo,
porque nos has dado a Dios.

Bendecid, luna y sol, a María.
Bendecid, claras estrellas, al Señor.
Bendecid, cielo azul, a María.
Bendecid, nieves blancas, al Señor.

Bendecid, anchos mares, a María.
Bendecid, altas cumbres, al Señor.
Bendecid, aves, a María.
Bendecid, con mil cantos, al Señor.

DE LA ANTOLOGÍA
CANTEMOS AL SEÑOR

Somos tus hijos, Dios Padre eterno,
Tú nos has creado por amor,
te adoramos, te bendecimos,
todos cantamos en tu honor.

TRADICIONAL

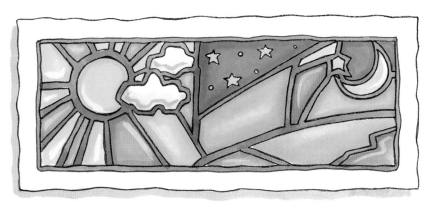

Alabado seas, mi Señor, en todas tus criaturas,
especialmente en el señor hermano Sol,
por quien nos das el día y nos iluminas.
Y es bello y radiante con gran esplendor,
de ti, Altísimo, lleva significación.

SAN FRANCISCO DE ASÍS (1182-1226)

Querido Dios,
me gusta sentarme en la playa y mirar
cómo se juntan la arena y el mar.
Aquí, siempre pienso
que creaste un mundo inmenso.

Sentada en la playa, miro a lo lejos
donde se juntan el mar y el cielo.
Pienso en ese mundo desconocido.
Algún día lo conoceré, cuando haya crecido.

Gracias por las flores,
gracias por los árboles,
gracias por la hierba,
por la brisa tan fresca,
gracias por las verduras,
gracias por la fruta.

Gracias por todas las cosas
que tanto nos gustan.
Gracias, querido Padre,
por tanta maravilla,
por el sol y el arco iris
que tras la lluvia brilla.

Las gotas de lluvia
mojan el asfalto,
resbalan por los cristales,
salpican en los charcos.
Al cabo de un rato
se acaba el chaparrón,
Dios retira las nubes
y vuelve a salir el sol.

El amor alivia
como la luz del sol tras la lluvia.

WILLIAM SHAKESPEARE (1564-1616)

Tan ancho como el mundo,
(abriendo los brazos)

tan hondo como el océano,
(señalando hacia abajo)

tan alto como el cielo,
(señalando hacia arriba)

así, es mi amor por ti.
(abrazándote)

Bendice, Señor, nuestra escuela,
da fuerzas a los maestros,
ayuda al director
y bendice a mis compañeros.
Amén.

Tengo
amigos parlanchines,
amigos silenciosos,
amigos tímidos y graciosos,
amigos formales,
amigos traviesos,
amigos mayores y pequeños,
amigos gordos,
amigos delgados,
amigos altos y bajos.
Gracias, Dios,
porque me has dado
unos amigos tan variados.

Cuando en autobús viajamos,
por calles y plazas pasamos.
Cuando viajamos en tren,
vemos campos y montes también.
Cuando viajamos en avión,
rozamos las nubes, ¡qué emoción!

Desde un cohete espacial,
la Tierra completa podría admirar.
Que tu amor, Dios, nos acompañe
en todos nuestros viajes.

Bendice a los animales

El Niño Jesús ha nacido en Belén
y todos los animales lo han venido a ver.
Bonitos regalos vienen a traer
al Niño Jesús, que ha nacido en Belén.

Yo —dice la burra, tan tierna y peluda—
he traído a su madre a través de las dunas.
Sin importarme el calor o el viento,
con María he cruzado el desierto.

Yo —dice el buey, grande y manso—
le he dado el heno de mi establo
para que tenga un lecho blando
y duerma feliz el Niño santo.

Yo –dice el carnero– le daré mi lana
para que la Virgen le teja una manta.
Mi lana blanca le dará abrigo
y por la noche no sentirá frío.

Yo –dice la paloma desde lo más alto–
le arrullaré por la noche con mi canto.
Moviendo las alas meceré su cuna,
para que se duerma a la luz de la luna.

Que todos los animales
vivan libres y contentos,
que Jesús los proteja
y les consiga alimento.

BASADO EN UN VILLANCICO

INGLÉS DEL S. XII

Gracias, Dios, porque creaste
los hipopótamos y los elefantes,
las jirafas de largo cuello,
que llegan casi hasta el cielo.
Creaste los monos alborotadores
y los papagayos multicolores.

También los rinocerontes y las gacelas,
cocodrilos, tigres y cebras.
Ayúdanos, Dios, a cuidar de la Tierra
para que todos los animales puedan vivir en ella.

Por la vida y el amor,
por la mano que me das
y el amigo que aquí está.
Por eso, gracias a Dios,
por el mar y por el sol,
por el trigo y por el pan
y por muchas cosas más.
Por eso, ven,
quiero todo tu querer.

TRADICIONAL

El Señor es mi pastor, nada me puede faltar.
Él me hace descansar en verdes praderas,
me conduce a las aguas tranquilas
y repara mis fuerzas.

Me guía por el recto sendero,
por amor de su Nombre.
Aunque cruce por oscuras quebradas,
no temeré ningún mal, porque Tú estás conmigo.
Tu vara y tu bastón me infunden confianza.

Tu bondad y tu gracia me acompañan
a lo largo de mi vida
y habitaré en la Casa del Señor
por muy largo tiempo.
Salmo 22, 1-6

Suave piel tiene el ratón,
el caracol una casa,
blandas plumas el gorrión,
la mariposa dos alas.
Y ahora dime: ¿tú qué tienes?
Tengo zapatos y ropa,
tengo a papá y a mamá,
la alegría de vivir,
y todo te lo debo a ti.

Líbranos, Señor,
de cucarachas y arañas,
de ratas y alimañas
que el sueño nos espantan.

TRADICIONAL INGLÉS

Protege a todas las criaturas,
lo mismo grandes que diminutas.
Yo en su nombre te quiero rogar
porque ellas no saben rezar.

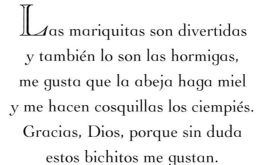

Las mariquitas son divertidas
y también lo son las hormigas,
me gusta que la abeja haga miel
y me hacen cosquillas los ciempiés.
Gracias, Dios, porque sin duda
estos bichitos me gustan.

Las arañas me dan miedo,
los ratones también,
cuando un murciélago veo
siempre echo a correr.
Te pido que me des tu ayuda
porque estos bichitos me asustan.

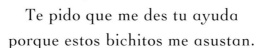

¿Por qué croa la rana?

¿Por qué ladra el perro?

¿Qué quiere decir, cuando bala, el cordero?

¿Será que tienen hambre?

¿Será que tienen miedo?

¿Estarán tristes o quizá contentos?

Dime, Dios, ¿puedes Tú entender

todos sus deseos?

Si no fuera así, por favor te pido
que los cuides a todos
con tu amor infinito,
tanto a los grandes
como a los más chiquitos.

Las aves del cielo cantan para ti,
las bestias del campo reflejan tu poder,
quiero yo cantar,
quiero alzar mis manos hacia ti.

¡Gloria a nuestro Creador,
que a todos nos hizo por amor!

La alondra está en el alerce,
el caracol en el espino,
Dios está en el cielo,
todo está bien en el mundo.

ROBERT BROWNING (1812-1889)

Muere el sol, todo es paz,
de las aves las canciones
cesan ya.
Hacia Dios, elevad la oración.

CANCIONERO SCOUT

Por favor, escucha esta oración
pues, si me pongo a llorar,
creo que mi canario va a empeorar
y, aunque sé que todos hemos
de morir,
me cuesta aceptarlo.
¡Ojalá no fuera así!

Querido Dios,
ya sabes que a nuestro/a *(nombre de la mascota)*
mucho queremos pero ahora malito/a lo/a tenemos.
Ayúdanos para que sepamos cuidarlo/a
y ayuda al veterinario para que sepa
tratarlo/a y que lo antes posible lo/a
tengamos otra vez sano/a.
Amén.

Querido Dios,
nuestros animales son algo especial.
Nos dan su amor
y muchas horas de felicidad.
Nos exigen respeto
y también responsabilidad.

Son nuestros amigos,
nos hacen compañía,
por eso cuando mueren
lloramos muchos días.
Pero te damos gracias por su recuerdo
y por los buenos momentos
que pasamos con ellos.
Amén.

Gracias por los

alimentos

Gracias, Dios,
te quiero dar,
porque con el desayuno
el día puedo comenzar.

Un día más serviste nuestra mesa.
Gracias, Jesús, por esta comida tan buena.

Por todos los dones
que nos has dado,
querido Jesús,
gracias te damos.

Te doy gracias, Señor,
por la comida y la bebida,
por la salud, por la paz,
y por el amor de mi familia.

$\mathbb{N}$iño Jesús, siéntate a nuestro lado,
comparte los alimentos que nos has dado.

Dios es grande,
Dios es bueno,
gracias le damos por lo que comemos.

Los días de clase comemos en el colegio,
unos días nos gusta más y otros días menos,
pero te doy gracias por estos alimentos
que puedo compartir con mis compañeros.

Escucha, Jesús, por favor te pido
que des de comer a todos los niños,
que la comida nunca les falte,
que nadie tenga que pasar hambre.

Pizza, pollo y hamburguesas
son para mí comida de fiesta.

Chocolate, chuches y helados
y la tarta de mi cumpleaños.

Macarrones, zumo y croquetas.
Gracias, Dios,
por todas las cosas buenas.

Querido Dios, te damos gracias
por los bienes que nos das.
Que sepamos compartirlos,
danos generosidad.

El Señor es bueno conmigo.
Doy gracias al Señor
porque nos da cuanto necesitamos,
el sol, la lluvia y las semillas de los manzanos.
El Señor es bueno conmigo.

ATRIBUIDO A JOHN CHAPMAN (1774-1845),
FRUTICULTOR Y PIONERO NORTEAMERICANO

Padre nuestro,
gracias te damos
por los frutos
de nuestros campos,
gracias por los huevos
que ponen las gallinas,
por la leche de la vaca,
el queso y la mantequilla.
Te damos gracias
por los cereales
y por la fruta de los árboles.
Protege, Señor,
a campesinos y granjeros,
que con su trabajo alimentan
al mundo entero.

Rojo es el tomate,
la zanahoria naranja,
amarillo el pimiento,
verde la espinaca.
Qué arco iris de color
en mi ensalada
ha puesto el Señor.

Te ofrecemos, oh Señor,
este vino y este pan
que de los campos traemos para ti.

Este vino y este pan
son los signos de tu amor
preparados por los hombres para ti.

TRADICIONAL

Padre, arriba en el cielo,
todos son alimentados por ti.
Escucha a tus hijos agradecerte
por nuestro pan diario.
Tú envías el sol y la lluvia,
las aves cantan sobre nosotros,
mientras el trigo crece
para nuestro pan diario.

ANÓNIMO

Bendícenos, Señor,
y bendice estos alimentos
que recibimos de tus manos.
Bendice a quienes los han preparado
y da pan a los necesitados.

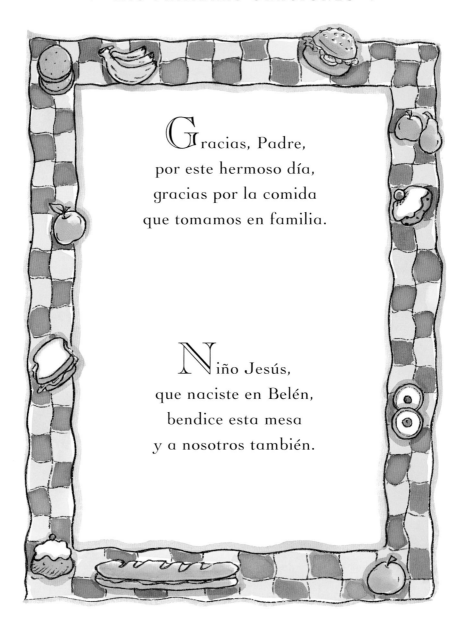

Gracias, Padre,
por este hermoso día,
gracias por la comida
que tomamos en familia.

Niño Jesús,
que naciste en Belén,
bendice esta mesa
y a nosotros también.

Comparte el pan con tu hermano,
que sólo el pan partido se puede degustar.
Comparte el pan con tu hermano,
que el pan repartido aprovecha a más.

Comparte la pena con tu hermano,
que de esta manera es más fácil de llevar.
Comparte la pena con tu hermano,
porque Dios nos enseñó a amar.

(DE TANZANIA)

Algunos tienen carne y no pueden comer,
otros no tienen carne y querrían comer,
nosotros que tenemos carne y podemos comer
a nuestro Señor hemos de agradecer.

BASADO EN ROBERT BURNS (1759-1796)

Con cinco panes y dos peces
Jesús dio de comer a mucha gente.
No sabemos cómo hizo el milagro,
pero hoy le pedimos
que bendiga nuestro plato.

Que los que tenemos mucho
no olvidemos a los que tienen poco.
Que los que podemos comer
no olvidemos a los que pasan hambre.
Que los que somos queridos
no olvidemos a los que están solos.
Que los que nos sentimos seguros
no olvidemos a los que están en peligro.
Que los que tanto tenemos
aprendamos a compartirlo.

Protege a mi familia

Dios bendiga esta casa
y al que por su puerta pasa.

El amor es paciente, es afable,
el amor no tiene envidia,
el amor no presume, ni se engríe;
no es mal educado, ni egoísta,
no se irrita, no guarda rencor,
no se alegra de la injusticia
sino que goza con la verdad,
todo lo perdona,
todo lo cree,
todo lo espera,
todo lo soporta,
el amor no pasa nunca.

(CORINTIOS 1,13)

Dios te ama y yo te amo,
así debemos vivir.
Dios te ama y yo te amo,
vivamos siempre así.

TRADICIONAL

«Dejad que los niños vengan a mí y no lo prohibáis;
porque el reino de Dios es de los que son como ellos.»

MATEO 19,14; MARCOS 10,14; LUCAS 18,16

Dios, bendice a todos los que yo quiero.
Dios, bendice a todos los que me quieren.
Dios, bendice a todos los que quieren
[a quien yo quiero
y a todos los que quieren a quien me quiere.

DE UN ANTIGUO LIBRO DE ORACIONES
(NUEVA INGLATERRA)

Querido Dios, cuida a mamá y a papá,
dales alegría en verano y salud en Navidad.
Cuídalos a todas horas,
no los dejes de cuidar.

Gracias te doy por mis padres,
que nos llevan a pasear,
por las fiestas, por las siestas,
por los cuentos en voz alta
cuando me voy a acostar.

He tenido un hermanito,
no me lo puedo creer,
duerme en una cuna alta
y no se puede caer.
Tiene las manos pequeñas
y los pies son muy blanditos,
si le acaricio la cara,
siempre abre los ojitos.
Qué suerte tengo, Jesús,
con este nuevo hermanito.

A veces me agarra el dedo
y no lo quiere soltar,
yo me río y él sonríe
y se alegra mi mamá.

Pero cuando tiene hambre,
no se cansa de llorar,
yo me tapo los oídos
y quiero que crezca ya.

Aunque grite, llore o ría,
yo lo quiero de verdad,
gracias, Dios, por mi hermanito,
y por poderlo cuidar.

Querido Dios,
a veces los hermanos nos peleamos,
nos quitamos las cosas y hasta nos pegamos,
pero ya sabemos que eso no está bien,
enséñanos a pedir perdón,
te lo pedimos de corazón.

Querido Dios,
dame un corazón grande
y unos ojos abiertos,
que quiero dar cariño desde que me despierto,
es cierto que a veces no lo sé expresar,
pero con el tiempo podré mejorar.

Gracias por la abuela,
que prepara cosas ricas
en el horno y la cazuela.

Y gracias por el abuelo,
porque cuando voy a verlo
destapa la caja de caramelos.

Yo creía que el hombre era grande
por su poder, saber y valor.
Yo creía que el mundo era grande,
pero grande sólo es Dios.
Sube hasta el cielo y lo verás
qué pequeñito el mundo es,
sube hasta el cielo y lo verás.
Como un juguete de cristal,
que con cariño hay que cuidar,
sube hasta el cielo y lo verás.

La abuela me toma en brazos
mientras me acaricia el pelo.
Si quiero jugar al fútbol,
me acompaña el abuelo.

Cuida, Señor, de mis abuelos,
me gusta ir a su casa,
ir con ellos de paseo.
Cuida, Señor, de mis abuelos
que conmigo son tan buenos.

Querido Dios,
dice mi mamá
que mi amor por ti
es como las mariposas:
muy bonito,
muy alegre,
pero muy frágil;
si no lo cuido,
es como si se rompieran un ala.
Si hablo contigo
un poco todos los días
me sentiré libre,
como si pudiera
alcanzar el cielo.

Jesús,
hoy estoy triste,
porque se ha muerto la abuela.
Me dicen que se ha ido al cielo,
que Tú la tienes más cerca,
dile que la echo de menos,
y que intento no llorar.
Dile que estoy siendo bueno
y que por ella voy a rezar.

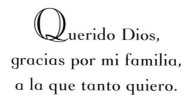

Querido Dios,
gracias por mi familia,
a la que tanto quiero.

Gracias por el tiempo que pasamos juntos
y por las cosas que entre todos hacemos,
gracias por nuestras charlas y nuestros juegos.

Gracias porque compartimos besos y recuerdos,
gracias por acompañarnos
aunque no siempre te vemos.

Ayúdame a
portarme bien

Todos le llevan al Niño,
yo no tengo qué llevarle,
le llevo mi corazón,
que le sirva de pañales.

Todos le llevan al Niño,
yo también le llevaré,
una jarra de manteca
y un tazón de dulce miel.

Guíanos, enséñanos y danos fuerza,
te lo pedimos, Señor,
hasta que lleguemos a ser como Tú quieres:
puros, amables, sinceros, desprendidos,
atentos, generosos, laboriosos, piadosos y serviciales,
para tu honor y gloria.

BASADO EN CHARLES KINGSLEY (1819-1875)

Virgencita de todos los niños,
que estás en el cielo
rogando por mí,
si algún día tu hijito no es bueno
cógelo en tus brazos y acurrúcalo.

Día tras día, mi Señor,
te voy a pedir tres cosas:
verte más claramente,
amarte más tiernamente
y seguirte más fielmente.
Día tras día, Señor.

SAN RICARDO DE CHICHESTER (1197-1253)

Señor,

Tú que eres el Maestro,
dame curiosidad para preguntar,

dame constancia para aprender,
dame claridad para distinguir
lo que es verdaderamente importante
para vivir.

Jesusito de mi vida,
cuando ayer me fui a la cama
te pedí que me ayudaras
a no ser tan protestón.

Hoy durante todo el día
lo he intentado y más o menos
ha funcionado.
¡Qué alegría!

Querido Dios,
a mí me encanta jugar,
hablar con mis amigos,
aunque recoger mi habitación
siempre me cuesta un montón.

Te pido no ser tan vaga,
que me sepa comportar,
y que haga lo que haga
siempre ayude a mis papás.

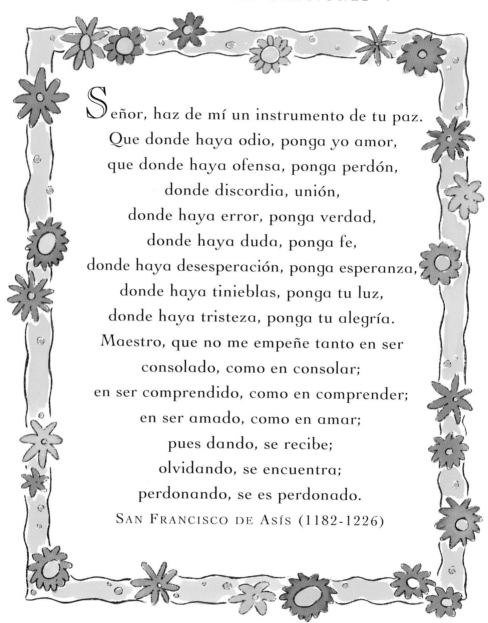

Señor, haz de mí un instrumento de tu paz.
Que donde haya odio, ponga yo amor,
que donde haya ofensa, ponga perdón,
donde discordia, unión,
donde haya error, ponga verdad,
donde haya duda, ponga fe,
donde haya desesperación, ponga esperanza,
donde haya tinieblas, ponga tu luz,
donde haya tristeza, ponga tu alegría.
Maestro, que no me empeñe tanto en ser
consolado, como en consolar;
en ser comprendido, como en comprender;
en ser amado, como en amar;
pues dando, se recibe;
olvidando, se encuentra;
perdonando, se es perdonado.
SAN FRANCISCO DE ASÍS (1182-1226)

Aquí estoy mirándote,
a no apartarme de tu lado,
ayúdame.

J esús,
haz que siempre siga tu camino,
(señala los pies)

en todo lo que hago
(abre los brazos)

y todo lo que digo
(señala con el dedo los labios).
Amén.

Señor,
que no cierre los oídos
si alguien está triste,
que no me cruce de brazos
cuando alguien me necesite.

Dame palabras para consolar,
que a mi amigo sepa abrazar
y sus lágrimas pueda secar.

A veces me porto bien,
otras veces soy un trasto,
unos días soy feliz
y otros no tanto.

Yo intento portarme bien,
pero a cada rato caigo,
es que ser bueno es muy duro,
si me ayudas, me levanto.

Querido Dios,
no hay para mí cosa más bella
que contemplar las estrellas.
Ya es hora de irse a la cama.
Dame esta noche
un bonito sueño
y ayúdame mañana
a ser otra vez bueno.

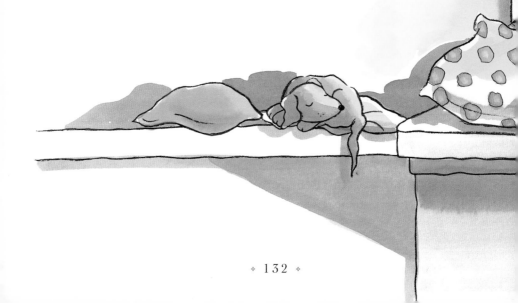

Muchas cosas han pasado hoy,
por todo lo bueno gracias te doy.
He jugado, he comido,
he cantado, he reído.
Y por las faltas que haya cometido
perdóname, Dios,
estoy arrepentido.
Amén.

Un día
especial

Padre nuestro, que estás en el Cielo,
santificado sea tu nombre,
venga a nosotros tu Reino
hágase tu voluntad en la tierra
como en el cielo.
Danos hoy nuestro pan de cada día.
Perdona nuestras ofensas
como también nosotros perdonamos
a los que nos ofenden.
No nos dejes caer en la tentación
y líbranos del mal.
Amén.

Dame, Señor, fuerzas
para llevar ligero
mis alegrías y mis penas.
Dame fuerzas para que mi amor
dé frutos útiles.

Dame fuerzas para levantar
mi pensamiento sobre
la pequeñez cotidiana.

RABINDRANATH TAGORE (1861-1941)

Si un niño vive la crítica,
aprenderá a condenar.
Si un niño vive en un
[ambiente hostil,
aprenderá a pelear.
Si un niño vive el ridículo,
aprenderá a ser tímido.
Si un niño vive avergonzado,
aprenderá a sentirse culpable.
Si un niño vive con tolerancia,
aprenderá a ser paciente.

Si un niño vive el estímulo,
aprenderá a valorar.
Si un niño vive con equidad,
aprenderá a ser justo.
Si un niño vive con seguridad,
aprenderá a tener fe.
Si un niño vive con
[aceptación y amistad,
aprenderá a encontrar
[el Amor en el mundo.

RABINDRANATH TAGORE

(1861-1941)

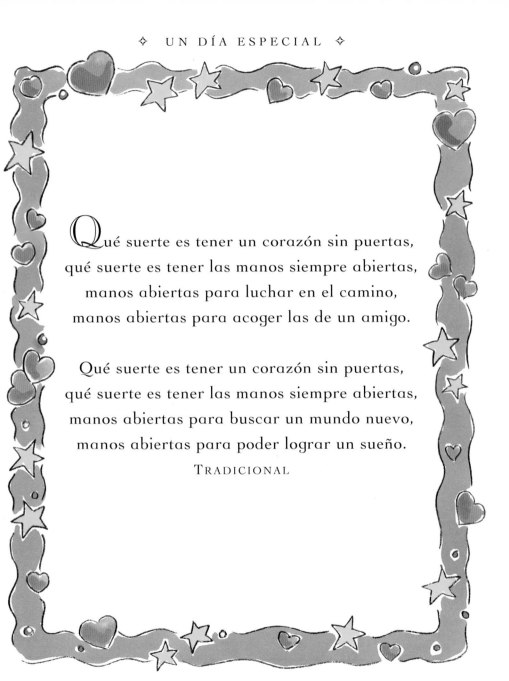

Qué suerte es tener un corazón sin puertas,
qué suerte es tener las manos siempre abiertas,
manos abiertas para luchar en el camino,
manos abiertas para acoger las de un amigo.

Qué suerte es tener un corazón sin puertas,
qué suerte es tener las manos siempre abiertas,
manos abiertas para buscar un mundo nuevo,
manos abiertas para poder lograr un sueño.

TRADICIONAL

¿**P**uedo ver la aflicción de otro
y no entristecerme también?
¿Puedo pasar por su lado
sin llegarme a detener?

BASADO EN WILLIAM BLAKE (1757-1827)

Sean gratas las palabras de mi boca,
y el susurro de mi corazón,
sin tregua ante Ti, Señor,
roca mía, mi salvación.

SALMO 19, 15

Cantad todos al Señor,
cantad al Amor, cantad,
alabando siempre a Dios,
confiando en su bondad.

ALELUYA CUBANO

Querido Dios,
hoy es lunes,
dame valor y fuerza
que la semana comienza.

Querido Dios,
hoy es martes,
dame constancia
para vencer mi ignorancia.

Querido Dios,
hoy es miércoles,
dame alegría
para pasar un buen día.

Querido Dios,
ya es jueves,
dame talento
porque soy tu instrumento.

Querido Dios,
por fin viernes,
hoy repaso la semana
antes de irme a la cama.

Querido Dios,
es sábado,
¡qué placer!,
cuántas cosas puedo hacer.

Querido Dios,
hoy es domingo,
un poco de paz me debes dar
para poderte rezar.

Domingo, día de descanso,
domingo, día de oración,
domingo, día divertido y colorido,
día de recreo y de reunión.

Después de crear el mundo,
Dios decidió descansar,
le gustó lo que había hecho
en seis días nada más.
El séptimo era el domingo,
un día muy especial,
siempre que lo recordemos
nos tenemos que alegrar.

Querido Dios,
hoy se me ha caído un diente,
pero no he llorado,
he sido muy valiente.
Me estoy haciendo mayor,
ayúdame a ser cada día mejor.

Esto es una iglesia

(entrelaza los dedos)

y esto el campanario.

(junta los índices)

Abrimos las puertas

(gira las manos)

y ahí están los cristianos.

(mueve los dedos)

Hoy es mi cumpleaños y voy a soplar las velas,
la tarta está preparada y mis amigos esperan.
Voy a pedir un deseo y ¿sabes cuál es, Señor?:
que siempre vayas conmigo, en mi corazón.

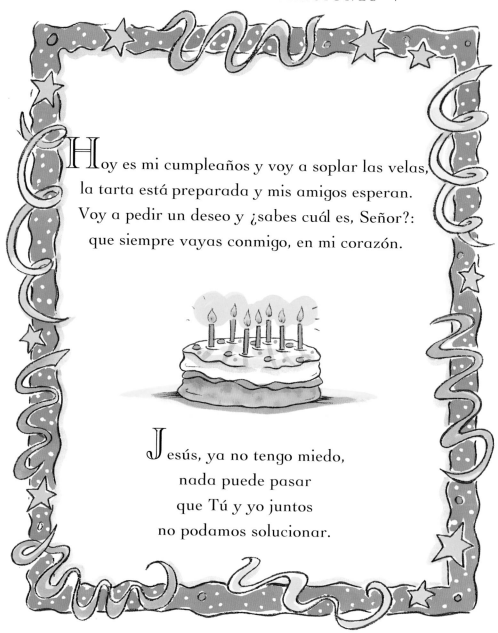

Jesús, ya no tengo miedo,
nada puede pasar
que Tú y yo juntos
no podamos solucionar.

Jesús, todos te creían muerto,
te bajaron de la cruz,
te lloraron en silencio,
y apagaron la luz, tan tristes,
cuánto sufrimiento.

Pero pasaron tres días
y retornó la alegría,
habías resucitado,
habías vuelto a la vida.

Por eso la Pascua es tan alegre,
porque Jesús a la muerte vence.

Te pido que en esta Navidad no haya tristeza,
que reine la paz en el mundo y desaparezca la pena.
Que sepamos aceptar las dificultades que nos llegan
y seamos capaces de salir de ellas.
Que los más necesitados puedan celebrar la Navidad,
como nosotros, con alegría y felicidad.

Ya hemos guardado las cosas,
un camión las va a llevar
hasta nuestra casa nueva,
hoy nos vamos a mudar.

Mis padres están nerviosos,
los cambios les sientan mal.
Danos un viaje tranquilo,
prudencia y serenidad.
Y bendice nuestra casa,
que sea también Tu hogar.

A dormir

Gracias por el día que acaba,
por las horas de silencio,
por esta cómoda cama,
porque te siento aquí dentro.
Ayúdame a poder descansar
porque mañana hay que
madrugar.

Señor, quédate con nosotros en este día.
En nuestro interior, para purificarnos,
sobre nosotros, para levantarnos,
a nuestro lado, para sostenernos,
delante, para guiarnos,
detrás, para contenernos,
a nuestro alrededor, para protegernos.

SAN PATRICIO (389-461)

Ángel de mi guarda,
dulce compañía,
no me desampares
ni de noche ni de día.
Si me desamparas,
qué será de mí,

Ángel de mi guarda,
ruega a Dios por mí.
Ven siempre a mi lado,
tu mano en la mía,
Ángel de mi guarda,
dulce compañía.

Cuatro esquinitas
tiene mi cama,
cuatro angelitos
guardan mi alma.

Con Dios me acuesto,
con Dios me levanto,
con la Virgen María
y el Espíritu Santo.

Tú naciste en un pesebre
y nos cuidas con cariño.
Ahora que llega la noche,
no te olvides de los niños.
Cuidalos cuando se van a acostar,
que no tengan miedo en la oscuridad.

Nadie fue ayer,
ni va hoy, ni irá mañana
hacia Dios
por este mismo camino
que yo voy.
Para cada hombre guarda
un rayo nuevo de luz el sol…
y un camino virgen
Dios.

LEÓN FELIPE (1884-1968)

Dios mío, concédeme serenidad
para aceptar lo que no puedo cambiar.
Valor para cambiar lo que puedo,
y sabiduría para reconocer la diferencia.
San Francisco de Asís (1182-1226)

Yo miro la luna
y la luna me ve a mí.
Dios bendiga la luna
y me bendiga a mí.

Si lloras por haber perdido el sol,
las lágrimas no te dejarán ver las estrellas.

RABIDRANATH TAGORE

(1861-1941)

Gracias, Señor,
porque en casa de mi amiga esta noche voy a pasar,
nos vamos a reír, podremos jugar,
darnos abrazos y muchas cosas contar.
Dios, a mí me gusta mucho todo lo que has creado,
pero los buenos amigos es lo mejor que me has dado.

Junto a Ti, al caer de la tarde,
y cansados de nuestra labor,
te ofrecemos con todos los hombres
el trabajo, el descanso y el amor.
Con la noche las sombras nos cercan
y regresa la alondra a su hogar;
nuestro hogar son tus manos, ¡oh Padre!,
y tu amor nuestro nido será.

Mi niño, duerme tranquilo,
que tu mamá te protege,
cierra los ojos, descansa,
todo mi calor te envuelve.
No llores, niño bonito,
no llores, mi tesorete,
no olvides que desde el cielo
también el Señor te mece.

Te pido, Señor, por todos aquellos
que hoy no pueden dormir,
porque padecen dolores,
porque pasan frío,
porque tienen hambre.
Ampáralos y vela su desvelo.

Que la luz de esta vela
me ilumine
para poder ayudar,
caliente mi corazón
para poder amar,
me inspire
para poder consolar.
Amén.

✦ A DORMIR ✦

Tengo en casa a mi mamá,
pero mis mamás son dos,
en el Cielo está la Virgen,
que es también mamá de Dios.
Las dos me quieren a mí,
las dos me entregan su amor,
a las dos busco y las llamo,
a las dos las quiero yo.
Cuando llamo a mi mamá,
ella viene sin tardar;
mi mamá del Cielo viene
si me acuerdo de rezar.

TRADICIONAL

Haz que nos amemos más y más unos a otros cada día
como Dios nos ama a cada uno de nosotros
y que perdonemos mutuamente nuestras faltas.
Ayúdanos, oh Padre amado, a recibir todo lo que nos das
y a dar todo lo que quieres recibir con una gran sonrisa.

MADRE TERESA DE CALCUTA (1910-1997)

Padre, me pongo en tus manos,
haz de mí lo que quieras,
sea lo que sea, te doy las gracias.

CARLOS DE FOUCAULD (1858-1916)

Señor, yo te pido que veles mi sueño,
que estés a mi lado mientras yo duermo.
Dios, oye la oración de este niño que te ama,
que pueda dormir tranquilo desde hoy hasta mañana.

Cuando me quedo en su casa,
mi abuela me llama "rey",
me cuenta muchas historias
y lo pasamos muy bien.

Cuando me voy a la cama
me suele recordar
que no debo dormirme
sin antes rezar.

Hora de dormir.
Me lavo los dientes,
me pongo el pijama,
preparo la ropa
para mañana,
pero...

no consigo dormir,
ojeo mi libro,
doy vueltas en la cama,
pienso en lo cansado
que estaré mañana,
y entonces...

✧ A DORMIR ✧

mi abuelo me ha dicho
que si no me duermo
rece una oración:
a todos los niños del mundo,
dales, Señor, tu bendición,
y…

creo que ya me duermo,
noto que me llega el sueño,
buenas noches,
por fin hacer puedo
un último bostezo.

Zzzz

ÍNDICE